- HERGÉ -

DE AVONTUREN VAN KUIFJE

DE SCEPTER VAN OTTOKAR

eih bennek eih blåvek

casterman

ISBN 90 303 2517 8

D. 1986/0053/203.

DE SCEPTER VAN OTTOKAR

We gaan even op die bank zitten.

Hee, iemand heeft zijn tas laten liggen...

En er is niemand te zien?...

Zal ik hem openmaken?... Er staat vast het adres van de eigenaar in...

Ha, zie je wel!... "Nestor Halambiek, Zweefvliegstraat 24."

Da's vlakbij. Ik zal hem even aanbrengen...

Fout, Kuifje!... Je weet dat dat altijd verkeerd afloopt, als je je met andermans zaken bemoeit.

Professor Halambiek?... Derde verdieping, eerste deur rechts...

KLOP KLOP KLOP

Binnen!

Goedenavond, mevrouw Sterrebloem. Wilt u alles op het tafeltje zetten?...

Ik ben mevrouw Sterrebloem niet, professor... Ik kom uw tas terugbrengen.

Wat?...

Mijn tas?...

Sst!... Er is net iemand binnen gekomen...

Wat aardig van u. Ik ben er vooral zo blij om, omdat hier de tekst inzit van het rapport dat ik vanavond op het congres van de IFS moet presenteren.

De IFS?...

IFS: Internationale Federatie voor Sigillografie.

Sigi... Wat zegt u nu?

Sigillografie...Nooit van gehoord?... De wetenschap die zich bezighoudt met het bestuderen van zegels... Uiterst interessant en... Mag ik u een sigaret aanbieden?...

Nee, dank u, ik rook niet...

Ja, de sigillografie is een boeiende zaak. Een blik op mijn verzameling zal u daar trouwens wel van overtui-gen...

?

O, lieve help! Ik heb gewoon peuken grond

Pardon!... de slechte te mijn op de te gooien!

WOEHA

Dit is een van de zeldzaamste stukken uit mijn collectie: het zegel van Karel de Grote... Deze is van Lodewijk de Vrome en daarnaast die van de Doge van Venetië, Gradenigo... Dit is ook een heel fraai stuk: een ring met een intaglio, uit de Merovingische tijd...

En dit is een wel heel bijzonder zegel, dat ik bij toeval ontdekte in Praag: het zegel van de koning van Syldavië, Ottokar IV...

Ah?

Het is een van de weinige bekende zegels van dat land. Maar er moeten er meer zijn. Ik ga de kwestie trouwens ter plekke bestuderen.

De ambassadeur van Syldavië, een goede vriend van me, heeft mij aanbevelingsbrieven toegezegd, waarmee ik toegang hoop te verkrijgen tot de oude Rijksarchieven. Sigaret?...

Nee, dank u... En wanneer vertrekt u?...

Zodra ik een secretaris heb gevonden. Secretaris is overigens niet het goede woord. Ik zoek iemand voor de praktische zaken van de reis: hotels, visa, vertrektijden, bagage, enz...

Maar ik zie dat u ook belang stelt in de sigillografie. Mag ik uw naam en adres noteren? Dan stuur ik u mijn brochure "Hoe wordt men sigillograaf".

Da's erg aardig van u...

Hij gaat weg... Vlug! Zorg dat je 'm tegenkomt op de trap...

Daar heb je 'm! Opgelet!...

KLIK

Rare plaats om je horloge gelijk te zeten...

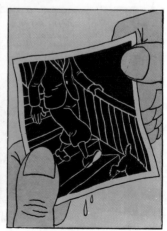

Ziezo... Fantastisch, zo'n cameraatje verborgen in een horloge...

Geef op...

We gaan de foto meteen ontwikkelen...

!?

Is hij gelukt?...

Sapristi! Ik heb m'n boek bij professor Halambiek laten liggen!...

Ach, in elk geval weten we dat hij Kuifje heet...

2de VER-DIEPING.

?

Kuifje!... Kuifje!... Je weet best dat de naam alléén niet genoeg is!... We moeten ook een foto hebben!...

Ik heb er trouwens genoeg van!... Ik ga!... Als ze me nodig hebben, ik zit in "KLOW"!... De groeten!

Tot kijk!

24

Nogal geheimzinnig allemaal... Ik ga achter hem aan...

-KLOW-

SYLDAVISCH RESTAURANT

LOW-

H RESTAU

Kijk, kijk!... "Syldavisch restaurant"... Het wordt steeds vreemder...

Naarbinnen!...

KLOW-

Hee... waar is hij nu?...

Nee maar, een klant!...

Hum... ik zou graag... iets willen eten...

Als meneer plaats wil nemen?

Meneer wenst?...

Hum... geeft u mij... hum... een "szlaszeck" met champignons... en een glas "szprädj"

Maar ik zou graag even mijn handen wassen...

Het toilet is aan het eind van de gang...

... Wat prof. Halambiek betreft moeten we nog een paar dagen wachten, tot hij de papieren van de ambassade binnen heeft...

HUM!...

!

Aan het eind van de gang, meneer...

Neem me niet kwalijk: verkeerd begrepen...

Zou hij hebben gezien dat ik stond af te luisteren?

... En hij stond jullie af te luisteren!... Het is een jonge knaap, met een rare kuif op zijn kop... Hij heeft een hond bij zich...

Ik verwed er duizend khorsonder dat het die knaap is die Sporowitsj heeft geprobeerd te fotograferen!...

Waar is Bobbie toch?...

TING TING TING

De rekening, alstublieft...

Direct, meneer...

?

KLOW
SYLDAVISCH RESTAURANT
EEKHOORNSTRAAT 38
EIGENAAR : J. KROISZVITSJ

WIE ZICH BEMOEIT MET ANDERMANS
ZAKEN KAN IN EEN LELIJK PARKET
GERAKEN
(SYLDAVISCH SPREEKWOORD)

Wat betekent deze uitdrukking?

Welke?... O, ja! Kent meneer die oude Syldavische gewoonte niet?... In de restaurants van mijn land staat er altijd een spreekwoord of gezegde op de nota's...

O ja?...

Ja, meneer... Aardig gebruik, vindt u niet?... Dank u, het klopt... Ik hoop dat het meneer gesmaakt heeft?...

Uitstekend, dank u. Uw "szlaszeck" was voortreffelijk. Hoe maakt u die klaar?

Ah, meneer, da's een specialiteit van het huis: jonge-honde-bout in Syldavische saus...

BOBBIE!...

BOBBIE!... BOBBIE!...

?

Ha, daar ben je! Waar had jij je verstopt?...

Tot genoegen, meneer...

Hahaha, die zullen we niet gauw terugzien, denk ik!

KEUKEN

Grote goden!...

Vreemd!... Heel vreemd, allemaal...

HIK

HIK

Enkele ogenblikken later...

Suf... Sur... Syb... Aha!... Syldavië, een der Balkanstaten. Syldavië werd in de XIe eeuw veroverd door de Borduriërs...

RRRING
RRRING
RRRING

Hallo?... Ja, met mij... Ja, ikzelf... Ik... Met wie heb ik de eer?... Wat?... Dat zult u me straks vertellen?... Als ik u kan ontvangen?... Waarover?... Ah?... Goed... Goed... Rond half negen?... Afgesproken, tot straks, dan... Dag, meneer...

Een man met een buitenlands accent die me heel belangrijke dingen te zeggen heeft...

HIK

In 1275 kwam het Syldavische volk in opstand tegen de Borduriërs en in 1277 werd baron Almaszout, de ziel van de opstand, tot koning uitgeroepen. Hij regeerde onder de naam Ottokar I, niet te verwarren met Ottokar I (Przemysl) Hertog en Koning van Bohemen in de XIIe eeuw...

HIK

Vijf voor half negen... M'n geheimzinnige vreemdeling moet zo komen...

KUIFJE

RRRING

HIK

?

Niemand meer!...

Gauw naar het raam!...

Zeg, Kuifje, mijn hik is over!...

Sapristi! Ik moet dat raam beslist toch eens laten maken!...

KLETS

Niemand meer, natuurlijk!...

En nu die arme stakker...

Ik zal hem op de divan leggen...

Je weet best dat hij eens heeft gezegd dat zijn deur altijd voor ons open staat...

Maar eerst even de deur dichtdoen...

Jij hebt ook een rare manier om mensen te ontvangen!... O! Wat zie ik nu?...

?

Help me even hem op de divan te leggen, als u wilt.

Is... is hij dood?

Wat is er toch gebeurd?...

Nee, hij leeft: zijn hart klopt nog...

Wat er gebeurd is?... Nou, het volgende... Een uur geleden belt deze man me op en vraagt of hij mag komen. Ik zeg ja. Om half negen wordt er gebeld. Ik doe de deur open en voor hij een woord kan uitbrengen, valt deze ongelukkige voor mijn voeten neer...

Hum!...

Geen woord uitgebracht, zeg je?... Hoe weet je dan zo zeker dat het deze man was die je belde?...

Ik weet niets zeker, maar alles wijst erop dat...

En wat beduiden deze sporen van strijd?...

Inderdaad, sporen van strijd!... Van de strijd die ik moest leveren met het raam, dat ik niet open kreeg! En wat dan nog? U wilt toch niet beweren dat ik die man bewusteloos heb geslagen?...

Dat zeg ik niet, maar...

Pardon, heren...

Mag ik u vragen wat ik hier doe?...

Ik geloof, meneer, dat ik dat beter aan u kan vragen...

En kunt u ons om te beginnen het signalement van uw overvaller geven?...

Mijn overvaller?... Welke overvaller?...

Vriend, ik raad je aan ons niet in de maling te nemen!... Om te beginnen, hoe heet je?

Ik... Nou, zeg... Dat is ongelooflijk... Ik... ik... ik kan het me niet herinneren!...

Nu voor het laatst, makker, ik raad je aan ons niet voor de gek te houden!... Naam?...

Ja, je naam!... En vlug een beetje!...

En als die man nu te goeder trouw is?... Als hij nu gewoon getroffen is door amnesie?...

Amnestie? Wat heeft dat er nu mee te maken?...

Amnesie!... Hij zal een flinke shock hebben gehad en daardoor alles vergeten zijn! Dat gebeurt zo vaak. Als ik u was zou ik hem naar het ziekenhuis brengen en hem laten onderzoeken...

Hum!... Wat vind jij?...

Hum!... Het valt te proberen...

Kuifje kan zeggen wat hij wil, ik zie niks in die anemie...

Vreemd... Vreemd... Hoe ik het ook bekijk, snappen doe ik het niet...

Maar hier moet wel een nieuwe ruit in...

Hallo?... Met de glashandel?... Kunt u een ruit komen inzetten?... Ja... Kuifje... Vanavond nog?... Prachtig!...

RRRRRING

Ah, bent u het?... Kom binnen...

Dank u...

Alstublieft...

Goedenavond, meneer Kuifje. En altijd tot uw dienst.

Tot mijn dienst?... Voorlopig niet, hoop ik...

KLETS

Niemand... De straat is leeg...

Ah! Er zit een briefje aan die kei vast...

Voor 't laatst: bemoei u met uw eigen zaken...

"Voor het laatst", m.a.w.: "we hebben u al eens gewaarschuwd"... Wanneer dan?... Drommels! Die waarschuwing kreeg ik in "Klow"... Syldavie zit hier dus achter... Maar wacht eens... Als ik nu als secretaris van de professor meeging naar Syldavie?...

De volgende dag...

't Zit tegen!... Die Kuifje is vanochtend bij prof. Halambiek geweest. Hij gaat als secretaris mee naar Syldavië!... Hij is nu zijn visum aan het regelen. Als hij meegaat, valt ons plan zeker in duigen!...

Laat dat maar aan mij over: ik verzeker jullie dat Kuifje niet meegaat!

Enkele uren later...

Meneer Kuifje?... Die is niet thuis.

Wat is er, ventje?

Een pakje voor meneer Kuifje, mevrouw.

Geef maar. Wij zullen boven op Kuifje wachten en het hem zelf overhandigen...

Maar...

Niets te maren: politie!...

Zeg, er zit een brief bij het pakje... Zullen we hem openmaken?...

"De verklaring voor de gebeurtenissen van gisteren vindt u in dit pakje. Een vriend..."

Prachtig!... We boffen!!... Dit zal interessante dingen opleveren...

Er wachten boven twee mannen op u. Ze zeiden dat ze van de politie waren...

Zo?... Goed!...

Ik vraag me af wat ze te zeggen hebben...

BANG

!?

Ziezo!...

BANG

?

Wat hebt u gedaan?... Wat is er gebeurd?...

Eh... Er was een pakje voor je...

... met een brief... Deze: lees maar... Wij maakten het pakje open, hoorden "psjuutt" en konden het nog net wegsmijten, anders was het in onze handen ontploft!...

Laten we ons bij de nieuws-gierigen voegen...

Een bom!... De schurken!... Ze wilden me dus doden!...

!?

Vlug, naar beneden!... Daar staan de lui die dit op hun geweten hebben!...

Opschieten!...

Dat zijn ze!...

Hij!...

Vlug!... Start de motor!...
Ik hou ze onder schot!...

Kijk uit!...

PANG

Geef me een wapen...

PANG

Te laat!...
Ze zijn
ervandoor!...

Daar, een motor!... We
gaan erachteraan!...

Vooruit! We
zijn zover!...

Ik zou nog verder willen
gaan: wij zijn zover!...

All right!...

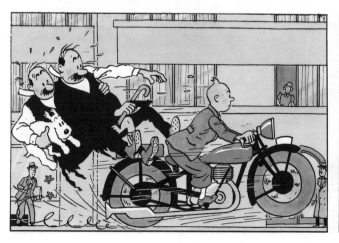

Houdt u vooral
goed vast!

Hij is alleen!... We hebben 'm!... We laten hem langzaam dichterbij komen...

We lopen in!...

Vooruit, we hebben ze!...

En nu gaan we op de remmen staan... Hop!...

!?

Ik denk dat we nu voorlopig wel van hem af zijn...

En Bobbie?... En de anderen?... Waar zijn die?...

Maar verdraaid, het lijkt wel... Ja, daar zijn ze!... Waar komen die nu vandaan?...

Je schoot zo hard weg ineens dat... we je niet konden vol-gen. Dus vorderden we deze wagen. Zet-ten we de achtervolging voort?...

Nee, ze zijn al te ver weg...

Tot ziens. Ik ga nu snel mijn koffers pakken. Morgen neem ik het vliegtuig naar Syldavië.

RRRING
RRRING
RRRING
RRRING

RRRING

Hallo?... Ja... Ah, goedenavond, professor... Ja, alles is klaar voor ons vertrek... Ja, ik heb de vliegtickets voor Klow... Morgenochtend, elf uur, op de luchthaven...

We gaan via Praag, ja... Dus, tot morgen dan, professor?... Ja... Goedenavond... Ik... Hallo?... Hallo?... Hallo?...

Ooooooh... Help!... Help!... Aaaaaah!...

?

De professor is in gevaar!... Vlug, vlug! Er is geen ogenblik te verliezen!...

24

Als ik maar niet te laat kom!...

?¡★★!¿!¡

Ah, bent u het, waarde vriend?... Komt u me helpen met mijn koffers?...

Ik... neem me niet kwalijk, maar ik... Ik snap er niets van!... Ik dacht dat ik u om hulp hoorde roepen... Dus kwam ik meteen hier naartoe gerend...

Ik?... Geroepen?... Ik begrijp echt niet wat u bedoelt!...

Dat is te gek om los te lopen!...Ik heb het toch niet gedroomd!... Ik hoorde wel degelijk om hulp roepen...

De volgende morgen...

Aardig van u om me gedag te komen zeggen.

Maar dat spreekt toch vanzelf...

Sterker nog: dat... dat spreekt vanzelf...

Professor, mag ik u de heren Janssen en Jansen voorstellen, van de Recherche... Professor Halambiek, sigillograaf...

Aangenaam...

Zeer vereerd...

Ah! U hebt nieuwe hoeden?...

Ja, fraai, hè?... Echt een koopje... Zuiver Engels vilt, extra licht: 39 frank 95.

Reizigers voor Praag, alstublieft...

Tot ziens dus, en goede reis!...

En veel succes in Syldavië!...

Dank u!

Compressie!... Brandstof!... Contact!...

Moet u eens komen kijken, zo aardig, die kudde schapen in die wei...

Ziet u ze, daar beneden?...

Ach ja... Wat klein, je ziet ze amper...

Vreemd...

Dalen we nu?...

Ja: Frankfurt... Een tussenlanding van een paar minuten...

Meneer Halambiek?... Een telegram voor u...

Zo! Zo!...

Da's prachtig!... De Syldavische regering stelt ons een speciaal toestel ter beschikking. Leest u zelf maar...

"Prof. Halambiek, aan boord toestel 487 OO - AGE. Luchthaven Frankfurt. Speciaal toestel wacht u te Praag en zal u naar Klow brengen. Stop. Hartelijke groeten." ... Getekend: Schzlozitsj, minister van Luchtvaart...

Snoep... Chocolade... Broodjes... Sigaretten...

Ha, ik geloof dat ze ons roepen...

?

Willen de reizigers voor Praag hun plaatsen weer innemen, alstublieft...

OO-AGE

Heel, heel merkwaardig...

Ach, laat nu maar. Ik ga deze folder eens bekijken...

BEZOEK SYLDAVIE

SYLDAVIE RIJK VAN DE ZWARTE PELIKAAN

SYLDAVIË
RIJK VAN DE ZWARTE PELIKAAN

E wereld kent vele mooie streken die de liefhebber van het pittoreske en de folklore lokken, maar een van de mooiste is nog te weinig bekend. Dit geïsoleerd liggende land is nu door een regelmatige luchtverbinding binnen het bereik gekomen van iedereen die houdt van een woeste natuur, van een gastvrije bevolking en van middeleeuwse tradities die, ondanks de vooruitgang, bewaard zijn gebleven.

Dit land is Syldavië.

Syldavië ligt in Oost-Europa en bestaat uit twee grote rivierdalen, het Wladirdal en het Moltusdal, twee rivieren die bij de hoofdstad Klow (122.000 inwoners) samenvloeien.

Deze dalen liggen temidden van hoge besneeuwde bergen en worden omzoomd door uitgestrekte beboste hoogvlakten. De vlakten zijn rijk aan tarwe en grazige weiden. De grond bevat alle mogelijke ertsen.

Talloze warmwater-, en zwavelbronnen ontspringen aan de bodem, vooral in Klow (hartkwalen) en Kragoniedin (reumatische pijnen). De bevolking wordt geschat op 642.000 inwoners.

Syldavië exporteert tarwe, mineraalwater uit Klow, brandhout, paarden en violisten.

Geschiedenis van Syldavië

Tot de zesde eeuw werd Syldavië bewoond door nomaden van onbekende afkomst. In de zesde eeuw vielen de Slaven er binnen en in de tiende eeuw werd het land door de Turken veroverd, die de Slaven de bergen in dreven en de vlakten bezetten.

In 1127 daalde Hveghi, Slavisch stamhoofd, aan het hoofd van een troep vrijwilligers de bergen af en veroverde de afgelegen Turkse dorpen, waarbij ieder die in verzet kwam, werd afgeslacht. Zo maakte hij zich meester van een groot deel van het Syldavisch grondgebied.

Tussen het Turkse leger en de troepen van Hveghi woedde een felle strijd in de vlakten van de Moltus, vlakbij Zileheroum, Turkse hoofdstad van Syldavië. Maar het Turkse leger had te lang niet gevochten en bezat een slecht kader. Vandaar dat het niet lang weerstand bood en een wanordelijke aftocht blies.

Vervolgens werd Hveghi tot koning uitgeroepen, onder de naam Muskar, dwz. de Dappere (van Muskh: «dapperheid» en Kar: «koning»). De hoofdstad Zileheroum werd voortaan Klow genoemd, dwz. Heroverde Stad (van Kloho: «verovering» en Ow: «stad»).

KLOW. — Bewaker van de koninklijke schat.

Vissestype uit de omgeving van Dbrnouk (Syldavische zuidkust).

← *Syldavische boerin op weg naar de markt.*

*Gezicht op Niedzdrow →
in het Wladirdal.*

DE SLAG BIJ ZILEHEROUM

naar een XVe eeuws miniatuur

Deze kon opzij springen en op het moment dat zijn tegenstander langs hem vloog, sloeg de koning hem zo hard met de scepter op het hoofd, dat hij op de grond viel. De koning riep in het Syldavisch uit: «Eih bennek, eih blavek!» wat ongeveer betekent: «wie kaatst, moet de bal verwachten.» Toen richtte hij zich tot zijn verschrikte dienaren en sprak: «Schande over hem die er kwaad van denkt!»

Lange tijd staarde hij naar de scepter. Ten slotte zei hij: «O, Scepter! Je hebt me het leven gered. Voortaan ben je het Symbool van de Syldavische kroon. Wee de koning die je zal verliezen, want hij is, zo verklaar ik, het koningschap niet waard.»

Sindsdien trekken de opvolgers van Ottokar IV elk jaar op het feest van de heilige Wladimir, met veel pracht en praal door de hoofdstad. In hun hand houden zij de historische scepter, zonder welke zij het recht op het koningschap zouden verliezen, en het volk zingt de beroemde hymne:

> Zege en roem zij onze vorst,
> Geen die hem nog te nad'ren dorst.
> De scepter in zijn sterke hand
> bewijst dit aan het ganse land.

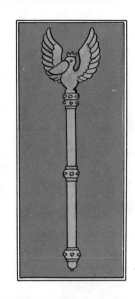

*

Rechts: De scepter van Ottokar IV

Onder: Gravure uit «De Heldendaden van Ottokar IV», XIVe eeuws manuscript.

*Z. M. Muskar XII, huidige koning van Syldavië,
in het uniform van gardekolonel.*

Muskar was een wijze koning, die in vrede met zijn buurlanden leefde. Zijn land kende voorspoed. Hij stierf in 1168, beweend door al zijn onderdanen.

Onder de naam Muskar II volgde zijn oudste zoon hem op. Hij was zwakker dan zijn vader en bezat te weinig gezag om de orde in het land te handhaven. Weldra veranderde de voorspoed in anarchie.

Hiervan profiteerde de koning van de naburige Borduriërs: hij viel het land binnen en in 1195 werd Syldavië bij Bordurië ingelijfd. Bijna een eeuw lang zuchtte Syldavië onder het Bordurische juk.

In 1275 herhaalde baron Almaszout de heldendaden van Hveghi en verjoeg de Borduriërs vanuit de bergen, in nog geen zes maanden.

Onder de naam Ottokar werd hij in 1277 tot koning uitgeroepen, maar hij was niet zo machtig als Muskar. Aan de leenheren die hem hadden gesteund in de strijd tegen de Borduriërs moest hij een charter toekennen, geïnspireerd op de Magna Charta van Jan Zonderland. Daarmee deed het leenstelsel zijn intrede in Syldavië.

Men moet Ottokar I van Syldavië niet verwarren met de Ottokars (Przemysl), die hertogen en koningen van Bohemen waren.

Ottokar stierf in 1298. Onder zijn opvolgers Ottokar II en Ottokar III bleef het rustig in het land. De leenheren consolideerden hun machtsposities, versterkten hun kastelen en bewapenden bendes huurlingen.

De ware stichter van Syldavië echter is Ottokar IV, die in 1360 de troon besteeg. Hij zette onmiddellijk hervormingen in gang, bracht een sterk leger op de been en beteugelde de al te eigengereide leenheren, wier eigendommen hij in beslag nam. Hij was de beschermheer van kunst, literatuur, handel en landbouw, en dankzij hem kon er weer voorspoed ontstaan.

De beroemde uitspraak: «Eih bennek, eih blavek», het devies van Syldavië, is van hem afkomstig.

Aan deze woorden ligt de volgende anekdote ten grondslag:

Op zekere dag verscheen baron Staszrvich, zoon van een van de door koning Ottokar IV onderworpen leenheren, voor de vorst en eiste overmoedig de kroon van Syldavië op.

Zwijgend hoorde de koning hem aan. Nadat de hoogmoedige baron de scepter had opgeëist, stond Ottokar op en antwoordde fier: «Kom hem maar halen.»

Razend trok de jonge baron zijn zwaard en stortte zich, vóór de dienaren hun meester te hulp konden snellen, op de koning.

Buitengewoon interessant allemaal, maar...

Maar ik moet nu oppassen... Iemand die zonder bril van grote hoogte een kudde schapen scherp kan onderscheiden, heeft goede ogen voor een bijziende... En wat ook gek is, sinds de avond waarop ik hem bezig trof met zijn koffers, heb ik hem geen sigaret meer zien roken...

Of ik moet me sterk vergissen, of ik reis met een oplichter mee!... En dat zou alles verklaren!... De kreten die ik door de telefoon hoorde waren dan afkomstig van de echte prof. Halambiek, die werd ontvoerd en vervangen is door deze man...

Ik moet hem ontmaskeren... In Praag trek ik hem aan zijn valse baard en laat hem aanhouden!...

Praag?... Nu al?...

Ja, we gaan landen...

Nu moet ik het doen...

OH!

AUW!

H... Het spijt me... Ik... verstapte me... Neem me niet kwalijk...

G... Geen probleem!...

Prof. Halambiek?... Het speciale toestel staat voor u klaar...

Het is geen valse baard!

Ja, maar die bril dan?... Ach, dat bewijst eigenlijk niets. Veel mensen kunnen beter ver zien dan dichtbij... En wat die sigaretten betreft, misschien is hij gewoon gestopt met roken...

Zie je, Bobbie, als het toestel bij slecht weer heen en weer wordt geslingerd, kun je je zo aan je stoel vastgespen..

Hier is de grens... Nu zijn we in Syldavië...

Prachtig land...

Prachtig, hè?... Ik zal u de kans geven het van dichtbij te bewonderen...

Ziezo!... Goede reis!...

VRESELIJK!

De parachute, vlug!...

Geen tijd meer om 'm vast te maken!...

Pas op voor de schok als hij opengaat!...

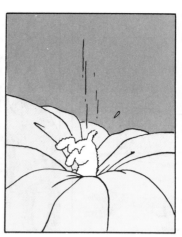

Zralùkz!...

Woeha!

Czesztot on klebcz!

Schitterend! Bobbie heeft de parachute te pakken!... Hij is gered!

Ik... vliegtuig RRRRRRR... Gevallen... Boem!... in het hooi...

Czesztot wzryzkar nietz on waghabontz!... Czesztot bätczer yhzer kzömmetz noh dascz gendarmaskaïa?...

Ha, Bobbie!

Woeha! Woeha!

Kzommet micz omhz, noh dascz gendarmaskaïa!

Meegaan naar de politie?... Met plezierskaïa!... Dan kan ik meteen een klacht indienen!...

ГЕНДАРМАСКАИА

Commandant, wat ik u te zeggen heb is van het hoogste belang... Kan ik u onder vier ogen spreken?...

Hum... Goed... Laat ons alleen...

Eerst zou ik u iets willen vragen. Ik las in een folder over Syldavië dat uw koning afstand zou moeten doen van de troon als hij zijn scepter kwijtraakt. Is dat juist?...

Dat is inderdaad juist... Maar waar wilt u heen?...

Naar het volgende: ik ben ervan overtuigd dat er een complot wordt beraamd tegen Z.M. Muskar XII, en dat bepaalde personen hem van zijn scepter willen beroven!...

Wat zegt u daar?... Hoe komt u daar zo bij?

Dat zal ik u uitleggen... Maar eerst: weet u zeker dat we niet worden afgeluisterd?...

Beslist. U kunt uw gang gaan...

Zeg, dat lijkt een serieuze kwestie... Ze zijn nu al bijna een uur in bespreking...

U hebt mijn land een grote dienst bewezen: ik ben u zeer erkentelijk. Ik zal meteen Klow telegraferen om prof. Halambiek te laten aanhouden. Het spreekt natuurlijk vanzelf dat dit onder ons moet blijven...

Wees gerust!... En nu zou ik mijn reis willen voortzetten. Kan ik hier soms een auto huren?

Nee, er zijn geen auto's in het dorp. Maar het is morgen marktdag in Klow, u kunt mee met een boer die daarheen gaat. Alleen komt u dan pas morgenochtend aan...

Niets aan te doen! Ik heb geen keus, ik ga met die boer mee.

Hallo?... Ja, hier Klow 3324... Ja, Centraal Comité... Met Trovik... Ah! Met Wizskizsek?... Wat?... Kuifje??? ... Maar dat kan toch niet: de piloot vertelt me net... Wat?... In het hooi?... Alledonders! Hij mag Klow beslist niet bereiken!... Doe wat je wilt!... Ja, in orde, bel Sirov...

Hallo?... Ja, met Sirov... Hallo, Wizskizsek... Ja... 'n Jonge knaap... Op de weg naar Klow... In een boerenwagen... Goed, we wachten hem op in het grote bos... Ja, we gaan meteen... Dag!...

Opgelet!... Daar zijn ze!...

Handen omhoog!...

?

Row 1:

Waar is de jonge vreemdeling die jij naar Klow brengt?...

D... d... de j... j... jon...g...e... jonge vr... vreem...

Ja, 't is goed, we weten dat hij bij je is!... Doorzoek die kar, Zlop!...

Vr... vr... vreem... de... l... ll... ling...

die... b... b... b... bij... m... m... mij was?...

Stotter je nu zo omdat je bang bent?...

N... n... nee!... O... o... omdat... ik... p... p... pr... prap... omd... omdat... ik p... prapaat...

Zeg, Sirov, hier is niemand!...

Row 2:

Donders! Waar is ie dan?... Horen we dat nog, ja of nee?...

I... ik... w... wou... 't... 't... uitl... l... l... u uitl... uitl... u... uitleggen, m... m... maar u o... o... o... onder... onderb.... b... brak me!... N... nou... hij is ui... ui... uitge... s... stapt... bij... bij... Ho... Ho... Ho...

Niks hoho! Dóórpraten, verdorie!...

B... Bij... Ho... Ho... tel H... Het Koe... Koe... Koekoek... Het Koe... Koetspaard...

Had je dat niet eerder kunnen zeggen??...

Stil!... Ik hoor 'n auto!...

En... en... en... er... er w... w... er was...

Row 3:

Eén woord, één gebaar... Vergeet niet dat onze geweren op je gericht zijn!...

L... l... lui... luist... tt... ter... l... ik... ik w... w... wil...

Row 4:

Die is weg... naar beneden maar weer...

Ik... i... ik w... wilde u... j... juist... z... z... zeggen dat de j... j... jonge v... vr... vreem... vreemdeling in... in... in...

Waar is ie, alledonders?...

I... i... in de w... w... wagen die... die n... net... net v... v... voor... bijkwam!...

Ja, ik zing vanavond in de Kursaal van Klow... Zou u graag iets van me willen horen?...

Heel graag...

Haa! ik lach bij 't zien van m'n scho-o-oonheid... in deez' spiegel!...

Ben jij 't Mar-ga-re-ta?

Gelukkig kunnen de ruiten tegen een stootje!...

SECURIT

Hallo?... Ja, met Wizskizsek... Ha, ben jij het, Sirov?... Nou?... Wat?... Drommels!!... Niet jouw schuld?... Nee, de mijne zeker!... Wat?... Als die stotteraar sneller had gepraat?... Als!... Als!... Als m'n tante een snor had, was ze m'n oom... Ik zal de commandant van politie in Zlip bellen... Ja, die staat aan onze kant... Daar houden ze hem wel aan...

En, kon het u bekoren?...

H... h... heel erg, heus!...

Dan zal ik, om u een plezier te doen, nog iets voor u zingen!...

!!

ЗЛIП

Waar is de jongeman die bij u was?...

Die is onderweg uitgestapt. Hij had iets laten liggen in Hotel Het Koetspaard en is teruggegaan...

Elke smoes was goed om aan haar te ontsnappen...

Intussen, te Klow...

U wenst dus toegang tot de Schatkamer om onze Rijksarchieven te kunnen bestuderen?... Ik verheel u niet dat dat maar hoogst zelden aan een buitenlander wordt toegestaan. Maar aangezien de ambassadeur voor u instaat, dunkt mij dat Zijne Majesteit positief over uw verzoek zal beschikken...

Dat is hem!... We vragen 'm naar zijn papieren...

Uw papieren zijn niet in orde!... Komt u mee naar het bureau!...

Inderdaad, uw papieren zijn niet in orde!... Ik zal u tot nadere instructie hier moeten houden...

Kom, commandant, er moet een vergissing in het spel zijn!... Ik heb voor m'n vertrek het visum gekregen en...

Het spijt me, maar ik mag u niet verder laten gaan... Agenten, neem hem mee...

Commandant!... Luister nu!... Ik heb belangrijke dingen te zeggen!... Ik...

Hallo?... Wizskizsek?... Sprbodj hier... Ik heb 'm!... Ja, we konden hem zo inrekenen... Wat doen we nu met hem?... Ja... Ja... Hij mag Klow natuurlijk niet bereiken... Ik zal erover nadenken... Uitstekend, bel me morgenochtend... Dag...

En terwijl ik hier zit te wachten, gebeurt er van alles in Klow...

Aaaoeaah!... Het wordt donker... Ik zal maar proberen te slapen, wat moet ik anders...

Hier Radio Klow... Beste luisteraars, u kunt nu, rechtstreeks uit de Kursaal in Klow, een concert beluisteren met medewerking van mevrouw Bianca Castafiore, van de Scala van Milaan...

Ha! ik lach ♪ bij ♪ 't zien ♩ van m'n scho-oonheid in ♪♪ deez'spiegel!... Ben jij 't Margareta?...

Antwoord ♩ antwoord ♩ Antwoord, antwoord, antwoord snel!...

De volgende dag...

Dit vrijgeleide, voorzien van de koninklijke handtekening, zal u toegang geven tot de Schatkamer, Luitenant Kromir gaat met u mee...

De schat wordt bewaakt in de Vierkante Toren van Slot Kropow, door een speciale garde...

Bevel van Zijne Majesteit!

Wil de professor mij maar volgen?

De schat lijkt goed bewaakt!

Nou en of!... De man die die steelt, moet nog geboren worden...

Professor, de Schat van Zijne Majesteit...

En dit is de Archievenzaal, die verbonden is met de Schatkamer, U wilt ons wel verontschuldigen, maar zolang u hier bent zullen twee wachten u gezelschap houden. Bovendien zullen de deuren aan de buitenkant gesloten worden. Dat is regel. Ik hoop dat u het niet erg vindt...

In het geheel niet...

Intussen...

Jullie brengen die jongeman naar Klow. Maar pas op!... Het is een gevaarlijke snuiter, die staatsgeheimen heeft ontdekt... Er is mij van hogerhand zelfs te verstaan gegeven dat het beter zou zijn als hij Klow nooit bereikt ...

Jullie doen dus het volgende... Jij, chauffeur, regelt het zo dat je pech krijgt... De anderen komen om je heen staan, terwijl je doet alsof je de motor nakijkt... Op dat moment probeert die knaap te vluchten en... Jullie snappen wat ik bedoel?...

Heel goed, commandant!... Maar als hij nu niet vlucht?...

Wees gerust, dat doet hij wel, dat weet ik zeker!...

Van wie komt dit briefje nu?... Een vriend?... Welke vriend?...

Let op! U zult naar Klow worden gebracht om daar gefusilleerd te worden. U moet proberen te vluchten. Doe tijdens de rit alsof u slaapt. De chauffeur, een vriend, zal doen alsof hij motorpech heeft en de andere agenten erbij roepen. Dan moet u ervandoor gaan....

Een vriend.

We zullen dit briefje dus voor de zekerheid maar vernietigen...

Kom, Bobbie, wil je zo vriendelijk zijn dit propje in te slikken...

Schiet op, Bobbie... Ik geloof dat ze ons komen halen...

Jij denkt zeker dat het zo makkelijk is?...

Hee, waarom stop je nu?...

Motorpech...

Even kijken?... Ach, er is geen gevaar bij: hij slaapt als een roos...

Opgelet, hij komt overeind!... Hij gaat uitstappen... Hou je gereed...

Het was een valstrik!... Ik ben verloren!...

Ziezo!... We mogen hem niet missen!

Er zit maar één ding op: een snoekduik!... Hop!

PANG PANG PANG

PANG

WIZZZZ

PATS

Hou maar op met schieten!... Hij is achter die rotsen verdwenen... Hij moet zijn nek gebroken hebben... We gaan hem zoeken...

Hier kwam hij ergens terecht... Daar, achter die rotsblokken...

Ai! Daar zijn ze!...

Opgelet, hier is het...

Donders! Waar is hij nu?... We moeten hem absoluut vinden... De commandant zou het ons nooit vergeven als wij hem lieten ontsnappen, terwijl hij alles heeft gedaan om hem in de val te laten lopen...

Laten we nog eens kijken. Hij kan niet ver zijn...

Oef!... Ze zijn voorbij...

En nu op weg naar Klow!...

We moeten uiterst voorzichtig te werk gaan, da's zeker!... Wat ik heb gehoord, bewijst dat ik niemand mag vertrouwen... Ik moet de koning zelf waarschuwen!...

Intussen, in Klow...

Ik weet niet of het mag, maar ik zou graag een paar documenten willen fotograferen...

Eigenlijk is dat verboden, maar misschien zal Zijne Majesteit u toe-stemming geven...

Ah! We zijn bij de grote weg...

Verdraaid, wat heb ik een honger!...

Zijne Majesteit verleent u toestemming de documenten te fotograferen. De foto's mogen echter alleen worden gemaakt door de officiële hoffotograaf, de heer Czarlitz. Deze verordening machtigt hem het slot met u binnen te gaan...

Daar heb je Klow...

Gaan we dan nu eindelijk eten?...

Het Koninklijk Paleis, alstublieft?...

Deze straat door tot het Ottokarplein en dan linksaf...

HOOG-
SPANNING

Wat een zondvloed!... We zullen hier even schuilen tot het droog is...

Gaan we dan eten?...

Ha, het wordt al minder...

Vooruit, Bobbie!... Nu snel de koning gaan waarschuwen voor het gevaar dat hem bedreigt...

Hè, Bobbie?... Waar is Bobbie?...

Bobbie!... Bobbie!... Bobbie!...

Weet je, Kuifje, ze hebben schitterende kluiven in dit land!...

DIPLODOCUS GIGANTIBUS

Jij brengt dat been on-middellijk terug naar waar je het gevonden hebt!... Begrepen?... En vlug!

Ha, het Koninklijk Paleis!

Zou Zijne Majesteit mij kunnen ontvangen?... Het gaat om een hoogst ernstige en dringende zaak...

Wilt u even wachten, dan kijk ik of de adjudant van Zijne Majesteit u kan ontvangen. Wie mag ik zeggen?...

Kuifje.

De heer Kuifje?... En voor een hoogst ernstige kwestie?... In orde, laat hem maar komen...

... Zeker, mevrouw... Ja... Ja... Vanavond half negen... Zijne Majesteit zal opgetogen zijn... Uw Dienaar, mevrouw...

En intussen...

Dat is dus afgesproken, meneer Czarlitz?... Ik kom u morgenochtend rond negen uur ophalen, dan gaan we samen naar Slot Kropow...

Afgesproken, professor.

U wenst dus een onderhoud met Zijne Majesteit?... Mag ik ook weten waarom?...

Eh... Ik... Neemt u me niet kwalijk, maar... het is uiterst vertrouwelijk en...

Ik ben Zijne Majesteits adjudant, meneer!... En ik durf te zeggen dat ik het volle vertrouwen van mijn vorst geniet!...

Daar twijfel ik niet aan, kolonel!... Maar de kwestie die ik met de Koning wil bespreken is zo gewichtig, dat ik er alleen met hem over kan praten...

Goed, ik zal niet aandringen... Wilt u vanavond om half negen terugkomen?... Ik zal van Zijne Majesteit gedaan proberen te krijgen dat hij u voor het feest op het Paleis nog even te woord staat...

Dank u...

En nu, Bobbie, gaan we eten...

Hallo?... Ja, met het Centraal Comité... Ha, ben jij het, Boris?... Hallo!... Nog nieuws?... Ja?... Wat zeg je?... Kuifje?... Weet je dat zeker?... Maar de commandant van het bureau in Zlip had me toch verzekerd... Ja... Iets ernstigs?... Drommels!... Meer zei hij niet?...

Goed!... En... Ah!... Hij komt dus vanavond om half negen terug?... In orde, dan hebben we de tijd... Luister, hij mag de Koning niet te spreken krijgen... Natuurlijk!... We doen het volgende... Luister goed...

En die avond...

De Koning wil u wel even te woord staan. Gaat u mee met de Gardekapitein?... Hij zal u naar de feestzaal brengen, waar Zijne Majesteit u zal ontvangen...

Prachtig...

Stil... Daar zijn ze...

Woeha! Woeha!

?

Die rothond heeft alarm geslagen!... Vooruit!...

Een valstrik!...

Je bent erbij, jochie. Verzet is zinloos!...

!

Verrader!...

BONS

Bedankt, Bobbie!...

Alle vier knock-out: dat gaat gesmeerd!... En nu kijken of we de Koning te spreken kunnen krijgen...

Hier moet hij ergens zijn...

?

Ha! ♪♫ ik lach ♪ bij 't zien ♪ van m'n scho-o-onheid ♪♫ in deez' spiegel ♪♫

DZIEM

Vlug! Dat kwam van de serre bij de feestzaal...

Ai! Een patrouille!... Nu is het erop of eronder!...

Laat me los!... Laat me door!... Ik wil Zijne Majesteit spreken!...

Sire!... Sire!... Kijk uit!... U moet uitkijken voor prof...

Wacht!... Waarschuw de Garde!... Snel!...

... Een jonge anarchist die kans had gezien het Paleis binnen te dringen, Sire...

De volgende morgen...

Weer tijdverlies!... Terwijl de samenzweerders er natuurlijk geen gras over hebben laten groeien...

KLING KLING KLING

U wordt overgebracht naar de Staatsgevangenis, in afwachting van uw berechting. Komt u mee naar de celwagen...

Hallo, St. Wladimir-ziekenhuis... Een ongeval?... Geslipt?... Verscheidene gewonden?... Rivierstraat?... In orde!... De ambulance komt eraan...

Deze is nog steeds buiten kennis...

Ja, vast en zeker een hersenschudding...

En nu de anderen...

Een hersenschudding van zeer voorbijgaande aard!... Kom Bobbie, het is nu of nooit...

Ziezo, dat is dat!... En nu snel terug naar het Paleis!...

Ik moet kost wat kost de Koning te spreken krijgen...

En ditmaal zal niets me dat beletten!...

A-11

Niet gewond, hoop ik?...

Nee... Dank u... Het gaat wel... Ik... Hemel! De Koning!!!...

Pas op, Sire!... Dit is de jonge anarchist die geprobeerd heeft...

?

Niet schieten, Sire!... Luister!... Ik ben geen anarchist!... Ik wilde u waarschuwen... Sire, het is goed mogelijk dat op dit moment onverlaten proberen uw scepter te stelen!...

Wat zegt u nu?...

De waarheid, Sire!... Ik weet zeker dat prof. Halambiek, die zogenaamd naar Syldavië is gekomen om de Rijksarchieven te bestuderen, een oplichter is. Zijn doel, en dat van zijn handlangers, is de scepter van Ottokar te bemachtigen en u zo te dwingen af te treden!...

Hemel! Is dat waar?...

Intussen...

En deze man is hun medeplichtige, Sire!... Daarom wilde hij weer beletten dat ik met u sprak!...

Niet waar, Sire!

Hij een medeplichtige?...

Hij liegt, Sire, ik zal...

U gaat onmiddellijk terug naar het Paleis en wacht daar mijn bevelen af!... Zelf ik met deze jongeman naar Slot Kropow om te zien of hij de waarheid spreekt!...

Haast u, Sire... Volgens mij hebben we geen ogenblik te verliezen...

Zo... Mogen we nu in de Schatkamer om de kroon en de scepter te fotograferen?...

Jazeker...

Het licht is niet geweldig. Ik zal met magnesium moeten werken...

We zijn er bijna... Daar zijn de torens van Slot Kropow. Daar, in die vierkante toren in het midden, ligt de scepter... Ach, als we maar niet te laat komen!...

De Koning!...

Alles lijkt normaal... We zijn dus op tijd!...

Ik hoop het, Sire...

Waar is prof. Halambiek?...

In de Schatkamer, Sire, met de gardekapitein en meneer Czarlitz...

Doe open!... Doe open!... Ik ben het, de koning!...

Geen reactie!... Snel, laat andere sleutels komen!...

Zou het echt mogelijk zijn dat...?

Laten we hopen van niet, Sire... Ha, daar is de wacht met de sleutels...

De volgende morgen...

De scepter is dus nog niet gevonden, maarschalk?...

Helaas niet, Sire... Maar ik heb de hulp ingeroepen van twee befaamde buitenlandse detectives, die vanochtend in Klow zouden aankomen. Ik verwacht ze elk ogenblik hier...

BONS

Wat gebeurt daar?... Ga even kijken...

Ah! Ik denk dat ik weet wie dat zijn...

Eh... wij zijn de detectives die... Hum!... Wij... wij gleden uit... en...

Ja... En we zijn gevallen...

Sire, mag ik u voorstellen: de heren Janssen en Jansen, gediplomeerde detectives...

Heren, welkom in Syldavië...

Gladheid, uw was is goed... ik gevoel... ik bedoel...

Gladder nog, sire... het was de was, sire...

Ik dank u dat u zo snel gehoor hebt gegeven aan ons verzoek en bereid bent uw ervaring in dienst van de Kroon te stellen... Dit is de heer Kuifje, een landgenoot van u, die u de zaak zal uitleggen...

Kuifje!... Kuik, kuik!...

Welnu, de scepter van de Koning is gestolen!... Toen Zijne Majesteit en ik de Schatkamer binnenkwamen, troffen wij daar de gardekapitein, twee van zijn mannen, de fotograaf Czarlitz en de u bekende prof. Halambiek, in diepe slaap aan. De vijf kwamen vanmorgen pas bij kennis en...

Zijn ze al verhoord?...

Ja, en hun verklaringen stemmen op alle punten overeen. Meneer Czarlitz wilde een foto maken met magnesium. Direct na de flits ontstond er een dikke rookwolk, die de aanwezigen de adem benam en het bewustzijn deed verliezen...

Goed... Maar... hum... Is iedereen wel gefouilleerd?...

Natuurlijk! We hebben zelfs de hellebaarden van de wachten en het statief van fotograaf uit elkaar gehaald om te kijken of de scepter daarin verborgen was. Maar nee. We hebben gezocht naar een geheime uitgang: niets! De enige deur waardoor de dief gevlucht zou kunnen zijn, werd bewaakt door twee wachten, die niemand naar buiten hebben zien komen...

Wel, Sire, deze zaak is kinderlijk eenvoudig! Als u het goedvindt, gaan we nu naar Slot Kropow, dan zullen we u laten zien hoe uw scepter ontvreemd is...

In orde, vooruit!...

Verdraaid, ze zijn toch slimmer dan ik dacht...

Voorzichtig: de vloer is nogal glad...

Dit is de Schatkamer. Hier bevond zich de scepter...

Sire, net wat we zeiden: de zaak is kinderlijk eenvoudig!

Het is als volgt gegaan. Een van de vijf personen is een medeplichtige. Hij bezwijkt als de rook vrijkomt, net als de anderen. Maar hij drukt wel een zakdoek tegen zijn neus. Zodra vaststaat dat de anderen zijn ingeslapen, staat hij op, opent de vitrine, pakt de scepter, opent het raam en gooit de scepter op de binnenplaats. Daar raapt een handlanger hem op, neemt hem mee, en klaar is Kees!...

Onmogelijk, heren!... De binnenplaats werd bewaakt. Daar konden alleen wachten komen, en die staan boven elke verdenking!... Hun trouw staat onomstotelijk vast, ze sterven nog liever dan hun Koning te verraden!...

Niettemin heeft de wacht die aan deze kant van de toren stond, inderdaad een raam horen open- en dichtgaan. Maar hij heeft niets ongewoons gezien...

Allicht!... Omdat de dief de scepter over de slotmuur heeft gemikt!... En daar stond een handlanger, die hem opraapte en ermee aan de haal ging...

Ik zal het u trouwens laten zien... Heeft u iets in het formaat van de scepter?...

Zeker...

Maar kijkt u dan toch! Van dit raam naar de muur is minstens honderd meter!... En dan zijn die tralies er nog!...

Wat doen die ertoe?... Als je maar goed mikt...

Alstublieft... Zou het hiermee lukken?...

Uitstekend!...

Let u maar op...

? BING

Wat ben je toch onhandig!... Ik zal eens laten zien hoe je zoiets doet!...

Let goed op!...

BING ?

Nu ziet u toch zelf dat de scepter niet op die manier verdwenen kan zijn!...

Ja... Ja... Zeker, maar... We zouden nu graag prof. Halambiek en de heer Czarlitz verhoren...

Sire!... Sire!... Ha, eindelijk heb ik u gevonden!...

?

Sire!... Professor Halambiek en meneer Czarlitz...!...

Ze zijn uit de Staatsgevangenis ontsnapt, Sire... Ze hadden handlangers bij de politie!... Vier van hen zijn verdwenen met de voortvluchtigen!...

Bij de scepter van Ottokar!...

Handlangers!... Handlangers!... Ze hebben ze dus overal!... Ha, het complot zit goed in elkaar: ik ben verloren!...

Sire, laat ons maar begaan!... Al kost het ons een week, een maand, een jaar desnoods, uw scepter zullen we vinden!...

Helaas, heren, ik heb hem al over drie dagen nodig!... Als ik de scepter op St. Wladimir niet heb, kan ik alleen maar af-treden!...

"Drie dagen, zeide hun Columbus, en ik schenk u een wereld!"... Binnen drie dagen, Sire, brengen wij u uw scepter, aan handen en voeten gebonden, dat zweren wij!...

Ik dank u, heren. O, ik hoop zo dat het zal lukken!...

Ditmaal staat onze eer op het spel!... We hebben gezworen de scepter te zullen terugbrengen en we moeten woord houden!...

Sterker nog: dat moeten we!...

Moge St. Wladimir ze behoeden!... Het zal hun lukken, hè?...

Ik hoop het van harte, Sire...

Maar ik wil, als u het goedvindt, zelf ook proberen deze zaak op te helderen.

Dank, vriend. Wat er ook gebeure, ik zal nooit vergeten wat je voor me gedaan hebt!...

Vóór alles moet ik te weten komen HOE de scepter gestolen is...

SPE

!?

Eureka!... Eureka!... Ik heb het!...

44

Snel, terug naar het slot!...

Ik heb het gevonden!... Komt u mee naar de Schatkamer, dan laat ik het u zien!...

Wat wilt u laten zien?...

Hoe de scepter gestolen is!... Vlug, kom mee!...

Niet zo snel!... Wacht even!...

Is hij naarbinnen gegaan?...

Ja, kapitein...

? OW!...

?!

?

Wat is u overkomen?... Gauw, vertel!...

Het fototoestel!... Bekijk het fototoestel eens!...

Een veer?...

Ja, en die veer sprong eruit. Hij kwam tegen mijn gezicht en ik ging K.O.!...

Wonderbaarlijk!... Hoe bent u daar achtergekomen?...

Toen ik langs een speelgoedwinkel kwam!... Ik zag een kanon met een veermechanisme en dat bracht me op het idee dat er in het fototoestel misschien ook een veer verborgen zat, waarmee de scepter over de muur kon worden geschoten!... En ik had het bij het goede eind!...

Kijkt u maar... Ik duw de veer weer terug... Nu steek ik in de buis de stok die de beide detectives hebben gebruikt...

Ik zet het toestel voor het raam en steek het gevorkte uiteinde van de zogenaamde scepter door de tralies...

Een druk op de knop - en hop!...

Hij is in het bos aan de overkant van de rivier terechtgekomen!... Ik ga daar eens een kijkje nemen...

Op de wal vindt u wel een roeiboot...

Als die idioot nu zoals afgesproken op het berkenbosje op de oever had gemikt, hadden we de scepter allang gevonden...

!

Ze hebben hem dus nog niet!... Dan is er geen moment te verliezen!... Ik moet terug naar het slot om het bos te laten uitkammen!...

HOERA!...

?

Hoera! Ik heb hem!...

!

En nu moet ik de anderen zien te ontlopen!...

Verdraaid! Ik ben erbij!...

Ja, en goed ook!...

De scepter, Bobbie!... Red de scepter!...

Hier, rotbeest!... Blijf je staan of niet?...

Daar is de rivier... Ik spring in het water!... Laten ze dan maar zien dat ze me te pakken krijgen!...

?

!

PANG PANG

Wegwezen, jongens!... De politie!...

Arme vriend!...

De scepter?...

Ze hebben hem weer! Bobbie liet hem vallen!...

Te laat!...

Hoe hoorde u dat ik hier was?...

Bij terugkomst op het slot. Daar vertelden ze ons dat je de rivier was overgesto-...ken...

Daar is de Koning... Hij is ook in-gelicht... Hij is via de brug gekomen, wij hebben de roeiboot genomen...

Wat is er gebeurd?

De bandieten zijn er in een auto vandoor, met de scepter!... Als u ons uw wagen wilt lenen, Sire, zullen wij ze proberen te achterhalen...

Hun voorsprong is niet groot... We zullen ze gauw hebben ingehaald...

We hebben haast geen benzine meer... We zullen bij de eerstvolgende pomp moeten stoppen...

Ha, daar heb je er een...

Twintig liter!... En vlug wat!...

Nog 33 kilometer tot de grens... Mooi!... Over een half uur ligt Syldavië achter ons en is de scepter in veiligheid!...

De auto van de Koning!... Ze zijn ons gevolgd!...

We hebben ze verrast!... Ze vluchten de bergen in!...

Ze kregen niet eens de tijd om weer in te stappen...

Vlug!... We mogen ze niet laten ontsnappen!...

Ze zitten nog steeds achter ons aan!...

Dat moet afgelopen zijn!... We zullen ze te grazen nemen!...

Volhouden!... We krijgen ze wel!...

PANG

Zoek dekking, jullie!... Ze beschieten ons!...

PANG

Waar zijn Janssen en Jansen nu gebleven?... Ik zie ze niet meer...

PANG
PATS

Toch moeten we iets verzinnen om ze te pakken te krijgen...

Kom mee, Bobbie, en laat je vooral niet zien!... We vallen ze in de rug aan!...

Hee, waar is de derde nu?...

Zeg, ik zie niets meer bewegen...

Misschien hebben we hem getroffen... Opgepast, daar zijn de andere twee!...

Handen omhoog!...

Ik snap het al!... Jullie moesten ons tegen-houden, terwijl jullie trawant er met de scepter vandoorging!...

Neemt u vlug deze boeven van me over, dan ga ik verder...

Donders! Ik snap er niks van!... Die kleine dolleman zit nog steeds achter me aan!...

Het wordt donker... We zullen zo moeten stoppen...

We kunnen niet verder!... We zullen hier de nacht moeten doorbrengen!...

Zo, nu kunnen we alleen maar de dag afwachten!...

De volgende dag, bij dageraad...

Kom, Bobbie, we gaan!... We moeten de scepter terug krijgen!...

Stevig doorlopen, dan krijgen we het wel warm...

Eindelijk, de grens!...
Ik ben gered!...

SYLDAVIË | BOR

SYLDAVIË

Nou, dat was op
het nippertje!...

Je breekt je nek nog eens met die akrobatische toeren!...

Even kijken... Ah!... Zijn portefeuille...

?

Geen moment te verliezen! We moeten direct terug naar Klow...

Niet te voet, hoop ik?...

Wat overkomt me nu ineens?...

O, maar ik snap het al!... Ik heb sinds gisteren niets meer gegeten!... Ik moet iets eetbaars zien te vinden...

Daar, een huis... Het staat wel over de grens... Pech gehad, ik sterf van de honger!...

Een Bordurische grenspost!...

Verdraaid, hij is weer bijgekomen!... De terugweg is afgesne- den!...

PANG

HAOW HAOW

Het is een geduchte Syldavische spion!... We moeten hem hebben!...

Pas op, hij moet dat huis in gevlucht zijn...

Nee, hij is er weer uit... We gaan verder!...

Hee, wat is dat nu?

FFFH

Wat heeft hij nu geroken?...

FFFH
FFFH
FFFH

Pe... Tsjie!... Het is peper... Haah... tsjie!...

De schurk! Hij heeft peper gestrooid om de hond op een dwaalspoor te brengen!...

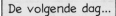

De volgende dag...

Ik slaap nu al twee nachten onder de blote hemel, ik ben geradbraakt!... Als ik de weg niet terugvind, kom ik nooit op tijd...

Een Bordurisch militair vliegtuig!...

Hij laat zijn landingsgestel uit... Waar zou hij gaan landen?...

Als ik zo'n toestel kan inpikken, ben ik binnen het uur in Klow...

Alles goed gegaan?...

Ja... Niks bijzonders, trouwens: een verkenningsvlucht langs de grens...

Ik heb een tip gekregen... Morgen, twaalf uur, zal Müsstler zijn oproep doen over de radio... Een uur daarna landt ons eskader in Klow, en...

?!☆!

En nu, vol gas naar Klow!...

De avond valt... Vervelend... Dan ben ik er niet vóór donker...

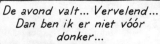

Hallo? Afweergeschut?... Hier luisterpost 34... Er is een Bordurisch vliegtuig de grens gepasseerd, richting Klow... Wat doen we daaraan?...

De orders zijn formeel, luitenant: neerhalen!...

Kijk eens aan! Zoeklichten...

Ja hoor, ik zit er midden in!... Ik hoop dat...

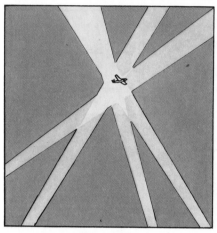

Verdraaid! Ze... ze hebben het op mij voorzien!...

Raak!... Kijk, hij staat in brand!...

Een wegwijzer!... Da's even boffen!...

Vijfentwintig kilometer: vijf uur lopen!...

Kippe-eindje!...

Een boerderij!... Stallen!... Zou ik proberen een paard te lenen?...

Pracht-idee!...

Ha, hier is een paard!... Sst! Rustig maar!... Mooi, hier is een zadel... Sst!... Braaf zijn, ik...

Al bij al kunnen we misschien beter te voet gaan!...

Waarom niet?... Een eindje lopen zal ons goed doen...

Die nacht...

De situatie is uitermate ernstig, Sire!... Het volk mort: het zegt dat we de waarheid verborgen houden, dat de scepter verdwenen is... Bovendien...

... zijn er gisteren nog Bordurische winkels geplunderd. Zeker, dat is het werk van provocateurs in buitenlandse dienst, maar het heeft voor gevaarlijke beroering gezorgd. Als Zijne Majesteit zich morgen zonder scepter aan de menigte vertoont, vrees ik dan ook...

Wees gerust, waarde minister, er zal geen bloed vloeien!... Ik treed af!...

Nee, Sire, u treedt niet af!...

! KUIFJE!... ?

Sire, ik kom u uw scepter terugbrengen!...

Gered!...

Hier is hij... Ik... Lieve hemel! Ik heb hem onderweg verloren!...

Gelukkig zag ik de scepter uit zijn zak vallen!...

!

???

Gered!... Ik ben gered!... O, wat een geluk!...

Voorlopig gered, Sire, want ik heb ook iets anders ontdekt...

Deze papieren vond ik bij een van de bandieten die ik achtervolgde...

"Machtsovername"!... En het is getekend: "Müsstler"!... Müsstler, de leider van de partij De Stalen Garde!...

Er is geen ogenblik te verliezen!... Laat Müsstler en zijn trawanten onmiddellijk arresteren!

Goed, Sire!...

Generaal, de troepenparade gaat morgen niet door. Vóór acht uur in de ochtend moet het leger verdedigingsstellingen aan de grens hebben betrokken. Laat ook alle strategische punten bezetten die de opstandelingen op het oog hebben...

Uitstekend, Sire!...

Enkele uren later...

KUKELEKU

BOEM

BOEM

Kanonschoten!...

Binnen!...

Ha, bent u het... Zeg, wat hebben die kanonschoten te betekenen?...

Dat?...

Dat zijn de kanonschoten ter ere van St. Wladimir... Kleed je vlug aan, anders komen we te laat voor de plechtigheid...

Het koninklijke rijtuig heeft zojuist het paleis verlaten en de Koning, glimlachend, blootshoofds, heeft de scepter van Ottokar in de hand... De Koning wordt vurig toegejuicht... Maar dan komt het volkslied, door duizenden uit volle borst meegezongen...

De Koning is terug in het Paleis... Vele malen moest hij op het balkon verschijnen, om door een uitgelaten menigte te worden toegejuicht... Daarna begaf de Koning zich naar de Troonzaal, waar op dit moment de plechtige uitreiking plaatsvindt van de onderscheidingen...

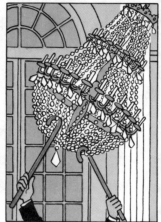

Tweelingen!... Ik had het kunnen weten!... Maar wat is er dan met de echte professor gebeurd?...

Dat heb ik gelezen in de kranten van uw land. Luister... "Bij een onderzoek van de politie gisteren in een villa bewoond door mensen met de Syldavische nationaliteit, is een geleerde aangetroffen, de heer Halambiek, die al enige weken in een kelder gevangen had gezeten. Hij verklaarde de dag voor zijn vertrek naar Syldavië te zijn ontvoerd en van al zijn papieren te zijn beroofd."

Nu is alles duidelijk... Eerst, de kreten die ik door de telefoon hoorde, vervolgens het feit dat de professor ineens zonder bril kon zien en niet meer rookte... Nu is alles duidelijk...

Intussen, in het hoofdkwartier van het Bordurische leger...

... Om onze vredeswil te onderstrepen, en ondanks de onbegrijpelijke houding van Syldavië, heb ik onze troepen bevel gegeven zich terug te trekken tot op twintig kilometer van de grens...

De volgende dag...

De Koning heeft hedenmorgen in huiselijke kring de heren Kuifje, Janssen en Jansen ontvangen, die afscheid kwamen nemen. Na dit bezoek zullen zij zich naar de haven van Douma begeven, alwaar zij aan boord zullen gaan van het watervliegtuig van de dienst Douma-Marseille...

RADIO KLOW
SZCHT-STILTE

Enkele uren later...

Tien over zes... We zijn er zo...

Lieve hemel! Wat gebeurt er?...

We vallen in zee!...

We vallen niet in zee, we landen OP zee!... Vergeet niet dat dit een watervliegtuig is!

? ?

Tjonge, ongelooflijk!... Dat was ik nu totaal vergeten!...

Ik ook!... Daar dacht ik niet meer aan!... Die is goed!...

Formidabel!... Hoe kan iemand zo verstrooid zijn!...

Ongelooflijk!...

Ik hoor je nog roepen: "We vallen in zee!"

Ha! ha! ha! ha! ha! ha!

HERGÉ.